Voor Emma

Voor altijd onze vrolijke, stralende zonnebloem

Liefs, Mama en Papa

Website: www.sjaloom.nl

E-mail: post@sjaloom.nl

Een uitgave van Uitgeverij Sjaloom, Postbus 1895, 1000 BW Amsterdam
© 2006 Illustraties Tony Ross
© 2006 Tekst Jeanne Willis
© 2006 Nederlandse vertaling c.v. Sjaloom en Wildeboer, Amsterdam
The rights of Tony Ross and Jeanne Willis to be identified as the illustrator and author
of this work have been asserted by them in accordance with the Copyright, Design and Patents Act, 1988.
Oorspronkelijke uitgave Andersen Press Ltd., Londen
Oorspronkelijke titel *Mayfly Day*
Vormgeving *Andrea Scharroo*, Amsterdam
Verspreiding voor België *Uitgeverij Bakermat* (Baeckens Books bvba), Mechelen
ISBN 90 6249 506 0, NUR 370

Dit boek is gedrukt op chloorvrij papier

Dagvliegje, dag

Tony Ross & Jeanne Willis

Uitgeverij sjaloom

Dit is Dagvliegje.
Het is haar eerste dag op aarde,
en het zal ook haar laatste zijn.

Dagvliegjes leven maar één dag.
Maar is ze daar verdrietig om? Helemaal niet.
Ze is blij dat ze leeft!

Dit is niet zomaar een dag:
het is de *beste* dag.
Ze verzamelt mooie momenten.

Ze ziet de dag aanbreken.

Alles komt tot leven.

Ze baadt in het gouden licht van de opkomende zon.

Miljoenen bloemknoppen ontluiken.
Allemaal voor haar!
Ze snoept van de honing.

Dagvliegje ziet eieren uitkomen.

Baby's geboren worden.

Lammetjes dartelen.

De bedrijvigheid van mieren,
De tomeloze energie van kinderen…
Al het moois dat er is.

Ze voelt de warme omhelzing van de zon.
De kus van de zomerregen.
De magie van de regenboog.

Het is haar trouwdag.
Bomen strooien confetti.
In de tuin wordt gespeeld.

De wind blaast, klokken luiden,
vogels fluiten! Ze danst
op de muziek van het leven.

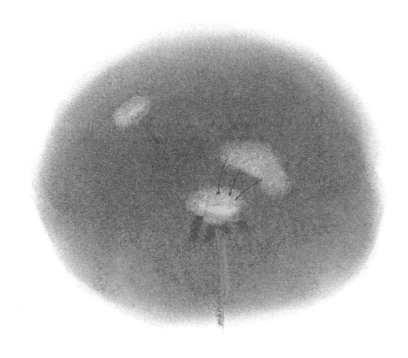

Dagvliegje legt haar eieren.
Het is een vredige nacht:
de *beste* van alle nachten.

Ze doet een laatste wens:
'Kleintjes, laat jullie dag morgen
net zo perfect zijn als mijn dag gisteren!'

Dagvliegje ziet de maan opkomen
en de sterren vervagen.
En is dankbaar voor haar prachtige leven.

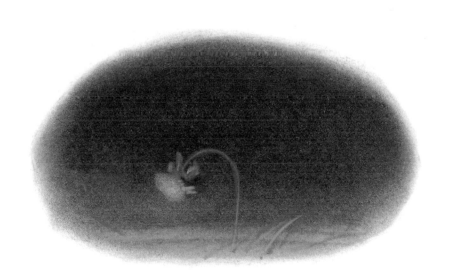